Max et Lili se sont perdus

Ainsi va la vie

Max et Lili se sont perdus

Dominique de Saint Mars

Serge Bloch

CALLIGRAM

CHRISTIAN GALLIMARD

7

8

9

10

11

12

14

Dis, Lili, tu ne crois pas que mamy nous attend ?

Hein, quoi ? Ah oui, peut-être !

On est là, mamy !

Mais c'est vous que la dame cherchait, non ?

Une dame comment ? avec une veste rouge ?

17

18

Vous n'avez pas vu une voiture verte avec une dame en rouge ?

Je ne m'en souviens pas. Mais vous êtes perdus ?

Non pas du tout !

Pourquoi tu ne lui dis pas qu'on est perdus ?

Ben... on n'est pas perdus ! et puis on n'est pas des bébés !

21

23

Euh... tu sais... justement, je voulais te dire... j'ai perdu Max !
BOUUUH !

Vite, un verre d'eau !

Je sais...
Mamie est sûrement
à la pâtisserie...
c'est par là !

Celui-là, il va peut-être
me kidnapper...

... heureusement
que je cours
vite !

PÂTISSERIE

C'est là !

Ah... pas de mamy !

Qu'est-ce que tu veux, mon garçon ?

Vous n'avez pas vu ma grand-mère ? je veux dire... une dame avec une veste rouge ?

Euh... grande comme ça !

On devait venir ici mais... elle doit être en retard.

Tu veux téléphoner chez toi ?

DRING...
DRING...
DRING...

Il n'y a personne ? Tu peux attendre ta grand-mère ici, si tu veux !

Non, non, je vais retourner au magasin. Elle y est sûrement !

31

32

Et toi...

Est-ce qu'il t'est arrivé la même histoire qu'à Max et Lili ?

T'es-tu déjà perdu dans un magasin ?
dans la ville ou dans la forêt ?

Quel âge avais-tu ? As-tu pleuré ? As-tu pensé que
tes parents t'avaient abandonné ?

As-tu eu peur de te faire enlever ?
de ne plus revoir tes parents ? de mourir ?

Est-ce arrivé car tu étais distrait ? As-tu désobéi ?
As-tu mal compris ? Voulais-tu te débrouiller tout seul ?

Est-ce que tu t'es débrouillé tout seul ? As-tu osé
demander de l'aide ? Est-ce qu'on a fait attention à toi ?

Depuis que tu t'es perdu, est-ce que tu t'occupes mieux
des plus petits lorsqu'ils sont perdus ?

Es-tu prudent ? Es-tu organisé ? observateur ? jamais distrait ? Écoutes-tu bien ? Dis-tu toujours où tu vas ?

Sais-tu que si tu te perds, il faut toujours rester au même endroit ? Ce sera plus facile de te retrouver.

N'es-tu pas timide pour demander de l'aide aux grandes personnes ? Fais-tu confiance ?

Connais-tu ton adresse et ton numéro de téléphone par cœur ? Les gens chez qui tu peux aller en cas de besoin ?

Dès que tu vas dans un nouvel endroit, essaies-tu de te repérer par rapport à ce que tu connais ?

As-tu peur de te perdre ? dans la ville ou dans la forêt ? de perdre tes parents ? Rêves-tu parfois que tu es perdu ?

**Après avoir réfléchi
à ces questions
sur la peur de se perdre,
tu peux en parler
avec tes parents ou tes amis.**

Dans la même collection